스위치백

이 도서의 국립중앙도서관 출판시도서목록(CIP)은 e-CIP홈페이지(http://www.nl.go.kr/ecip)와
국가자료공동목록시스템(http://www.nl.go.kr/kolisnet)에서 이용하실 수 있습니다.
(CIP제어번호:CIP2015007727)

실천시선 232

스위치백

박승

실천문학사

차례

제1부

제2부

제3부

제1부

가자미

날씨가 차가워지면 북쪽에서 반가운 소포가 온다

눌러쓴 주소 안고 비닐로 겹겹이 싸여 석류처럼 빨갛게 가자미 온다

동해 먼 곳 외할머니 보내신 식해 빨간 피보다 전설이 많아 이 생 저 생 녹아 있다

무 고추 마늘 메좁쌀 엿기름 물 떠난 생물 몸 비비고 피 나누며 숨죽인다

만삭의 독 소식 풀면 끊어진 몸 추슬러 살 속 흰 뼈를 녹인다

바다를 기억하는 날개 하나가 되어 헤엄치고 오래고 삭고 긴 가계 겨울에서 겨울로 익어간다

낮은 해류를 지나온 가자미 식탁에 올라 붉게 아침을 토한다 달이 가까운 또 어머니의 눈이 내리는 이곳

흰 돌

우리 집에는 흰 돌 하나 있다 가만 쥐어보면
　손에 담기는 보드라운 돌 어디서 나서 닦
였는지 매끄럽고 포근한 돌 책장 속 책 사이
두고 허전할 때 찾아 손에 쥐어본다…… 먼 길
가며 이어지는 산 가늘게 흐르는 나무 점……
　점…… 눈이 감기면 함께 온 돌 꺼내 무릎 위에
놓는다 그는 무거운 속과 한쪽에 패인 상처
　구르며 흐르다 깎인 기억 담담히 드러내고
　사람의 팍팍한 살이 강아지 빨간 혓바닥 속
에서 놀던 시절까지…… 돌은 밝고 노란 이야
기 오래 손의 온기를 묻어두었다가 아직 철
이 안 든 아이에게 전해주고 싶은 마음…… 굽이
　굽이 강물의 소리 만져보면 아이가 돌을
쥐고 단단하고 분명한 시간을 만나는 때 저
녁 하늘이 내려 땅으로 다시 돌아오기까지

영동 대설

할머니 툇마루 눈이 내렸습니다
하늘을 받아주는 난간
페인트 부드러운 윤기 푸득푸득 덮이며
한 길 넘어 하얀 눈 쌓였습니다
동화처럼 눈 아래 박혀 있는 철못
작은 미닫이문도 닫혔습니다
먼 솜털 내리는 동안
먹구름 무거운 바다 몸을 구르고
할머니는 어지러운 잠 속 걸어갑니다
할아버지 만나고 어린 엄마를 만나
고드름과 함께 눈이 자라는
명태의 놀란 주둥이 만집니다
지붕 위 눈얼음이 자라는 마을
깊은 산도 깜박 잠에 듭니다
적막으로 발을 묶고 세상도 묻힙니다
눈을 감는 신령한 소리 들리고
아침이 옵니다 길의 눈에 푹푹 빠지며

할머니 깨어나는 손끝
미닫이는 입을 물고 오래 기다립니다

애인

나에겐 얼마나 많은 할머니들이 계시는가
소싯적에는 너무도 잘 달리던 할머니 이제 기억이 눈처럼 조금씩 녹고 계신지
봉황이 알을 품는 봉촌에서 났다고 김봉희 증조할머니 인촌댁
몇 십 년 먼저 간 할아버지 곁에서 올해도 꽃피우고 계시는지
가끔 일어나는 미진처럼 들리던 경주 최씨 고조할머니
아버지의 기일이 되면 어스름 저녁으로 오시던 두 분 왕고모할머니
귀 크고 머리 하얗고 손을 놓아버린 할아버지로 힘겹게 초로를 보내신 외할머니 이순자 여사
삼척서 꼽히는 미인이었다는 큰이모할머니 자주 서럽던 혼자 사는 이모할머니까지
그러고 보면 이미 썩어버린 핏물이 동해 가자미의 뼈가 되어버렸을 어머니 외할머니
남편이 돌아가고 몇 날을 꼬박 굶어 함께 가신 독한 할머

니도 아버지 외할머니

나에게는 얼마나 많은 사랑이 있는가

남에게 싫은 말 못하는 이제 물렁뼈가 조금씩 굳어가는
내 아들의 할머니

당당하나 요절하신 아버지와 청상의 어머니 기억하는
내 딸의 외할머니와

하얀 구름이 자갈 많은 강물 위를 흘러갈 때 그 손을 잡
고 먼저 간 사람 기억해줄 내 손자의 할머니까지

나는 얼마나 많은 여인과 살아왔고 걸어왔고 태어났고
몸을 묻고 젖을 물고 또 핥고 눈을 감으며 그리워하여 죽어
왔던가

둑 너머

두 여인 쌀을 이고 간다

산을 넘는 붉은 길 한나절 걸어야 절이 나온다고 하얀 모래 위 돌아온 강물 흐른다 뫼 山 글자 아래 장난감 모양 기차가 지난다 돌 틈에 모여 뱀은 잠자고 나무와 풀 시커먼 그늘도 가리지 못할 바위 벼랑으로 모여 있다 끈끈하게 뚫리는 반죽 허리에 구멍이 나고 구멍으로 밤이 오면 새는 잠 속으로 매달린다 어둠을 날아 한 마리씩 원을 그리며

강가는 햇빛 부서지는 모래 그 너머 얼마나 많은지 하얀 해골들 몰사잡이로 묻혀 오래 빛이 바래고 있다

서리

마을에서 강으로 가는

버드나무 한 그루 서 있다

가지가 굽어지는 밤

어미는 숨이 잘렸다

송치는 건져지고

새벽으로 사라진 도둑

땅 위로 소름이 돋고

하늘의 입김이 뒤를 쫓았다

중산리

나무 병풍
돌 마루

구름 무리 몰린 하늘

물의 축문
향의 비

총소리 계곡 운다

뼈 제물
사람의 초

오십 년 행방불명 박선돈 씨

호야
아재는 간다
한 자루 품고 가볼라칸다
삼랑진 돌티미 거지비 지나왔더라

자는 호야
아재는 갈란다
갈방 잎사구매로
물 따라 바람 따라 가볼란다
갈방 잎사구매로
흐르고 뒤집어지고 가라앉을 때

깨지 마라 호야
날 새기 전에 아재 간다
아재는 갈 때까지 가볼란다
할매한테 절은 했다 행님한테는 미안타

竹西

수십 번
살아온
川

바다로
들기
前

긴 구비
걸린
樓

운문사

붉은 감 아침 열지
산 들 마당에서

가던 차 놀라 서지
길을 넘는 여인

햇빛 구슬 부서지지
피와 살 검은 사리 알

흙 조각

나의 위로 열한 살 된 나의 위로 4학년
나의 위로 얼굴 이어 나의 위로

백실이 우실이 나의 위로
장 서방네 손 서방네 명례 다완으로 위로
아이 낳았던 나의 위로
청도에서 김해로 봉촌에서 나의 위로
나의 위로 나를 안고 물고 나의 위로
딸기밭에서 세상의 모든 딸기들
나의 위로 딸과 아들

눈물이 나도 나의 위로
나를 잊어도 나의 위로
피를 섞어도 나의 위로

샘에서 샘을 키워 나무를 낳아도
나의 위로 너의 위로 그의 위로

아래 같은 위로 동무 같은 위로

새로운 나의 미지 나의 세상

그 속으로 잠에 드니 나는

흰 개

어머니 생신 맞아 고향에 가니
강아지 여덟 마리 하얗게 돌아다닌다
새끼 괭이처럼 새끼 제비처럼 재재거리며
어미 젖 물고 먹이통에 마당에
가는 꼬리 저어대며 소한 추위 이기고 있다
어미는 여러 해 대문을 지키고 있다

두 돌 딸을 데리고 고향에 다시 오니
하얗던 강아지는 없고 흰 어미만 앉아 있다
강아지들 이 집 저 집 모두 떠나고
남은 둘은 개장수에 팔렸다 한다
어린것들 벌써 제 길을 다 가고
대문 앞에는 어미 털이 하얗게 빠져 있다

청도 지나

산이여 오래 높은 고개를 낳고 긴 터널을 낳았다

청도 푸른 길 아래 논길 물길 이어진다

저 건너 사무름에는 고봉밥 눌러주던 왕대고모님 옛집
이다

초라하나 오랜 소읍 청도를 지난다

도시에서 흘러온 불빛

저녁이 밤으로 바뀌는 시간이다

늦어진 길 더욱 늦어져도 걱정 마라

전등 아래 꽃까지 자디잘게 바람 맞는 길이다

아 청도 지난다

어느 아픈 어버이도 작은 등을 켜고

오지 않을 아침을 위해 돌아누울 길이다

李處士略傳*

오직 홀로 산과의 대화요
강을 건너 또한 물고기와의 대화로다

남 지리 이백 리 북 계룡 이백 리

명산을 돌아 돌을 모다
낮으로 뜻을 골라 밤으로 원을 괴다

천지 일광 월광 약사 중앙 월궁 용궁 신장

그놈을 죽여주랴
그리 말고 혼이나 내주시오

암마이 숫마이 천을 타고 오가다

아흔다섯 죽음을 정했다 아흔일곱
물을 마시며 먼지를 털고 아흔여덟

용두봉 정한 자리 돌아가다

* 마이산 탑사 이갑용 처사 사연 인용 http://www.maisantapsa.co.kr.

자부라미*

감자의 뿌리 바람에 마르고 있었다 파란 잎사귀들 벌써 시들고 그런 날이다

아버지의 외할아버지 돌아가셨다는 전갈 뚜벅뚜벅 걸어온 때는

늙은 사위의 집 흐린 백열등 아래 곧은 그림자 저녁을 드시던 때는

수저를 잡고도 깜박 조시던 하얀 바늘 돋아 있는 듯 짧은 머리 구릿빛 노인

마루에 앉아 신발 신으며 수십 년 전 말씀을 하시는 때는

밀양의 맏며느리로 큰딸을 보내고 씨름판에서 졸기도 한다 그래도 힘은 제일이다 자부라미 하야시(林)

몸피는 제일이나 힘은 셋째 내 나라 바지로만 살아간다 핫바지 복상〔朴さん〕

그 자손들 어디서 살고 있는가 셋 중에 둘째 청도 문장군(文將軍)

힘이 장사인 의형제 남의 땅 사세보〔佐世保〕에서 조선인 일꾼들과 살았던 나라 없는 형제들

사람 좋은 영천 임 장사 가신 날 두 달 동안 아무것도 모두 끊어버리고 남편을 따라가는 할머니 어머니

---

* 졸음 많은 사람을 이르는 영남 지방 방언.

한판

느티나무 아래 장기를 두고 있습니다
관중들 두부김치 막걸리 먹어가며
맞수 향해 훈수를 딱딱 던집니다
매미는 군호를 불어대고
나무 잎사귀 끝 태양이 무르익었습니다
전선을 누비던 장졸과 말 쓰러지고
걸음 무거운 코끼리도 계곡에 갇혀
궁을 지키는 근위사단 반이 줄었습니다
두 양반 눈을 부릅뜹니다
항복 않을 테냐 콧등에 힘을 줍니다
아슬아슬 멍군 장군 부르며 포신을 돌립니다
두부는 젓가락 사이 뭉개지고
연신 탄을 쏘며 전차는 먼지 속 달리고
보병들 쓰러지며 하나둘 사라지는 들판
휑한 바람 불어가도 승부가 나지 않습니다
허리 아래 아이는 싸움을 익히고
낮술에 젖어 느티나무 다시 판을 벌입니다

스위치백

뒤로 간다 뒤로 저 산 저 길 저 언덕 올라간다

기억을 따라 시간을 따라 가난한 햇빛 가난한 잔설 산이 막아둔 길 넘어간다 고지의 차가운 작은 새벽 여인숙에서 간다

눈물 나는 검은 눈 낮은 방에서 나는 그의 손을 잡는다 새벽의 내리막길 기다리다 마른 그가 누운 바닷가 낡은 집 찾아간다 팔은 줄고 다리는 가냘프니

산의 허리 무엇을 보나 허리에서 눈부신 서리 차기만 한 서리 곁으로 곁으로 시간이 멈추고 다시 세상이 덜컹거릴 때가 올 때 다시 앞으로 구를 때가 올 때 다시 앞으로 나를 굴려야 할 때가 올 때 바다의 고장을 떠나 흙의 사람이 되기 전 뒤로 뒤로

제 2 부

나의 측백나무

바닥에 넘어진 그림자 길을 넘는다 낮은 계단 밋밋한 시멘트 길 따라 저기 측백 한 그루 서 있다

낯선 아침 허리를 잡고 돌았던 나무 흔들리는 가로등 불빛 이정표처럼 단호한 뿌리

측백은 밤과 낮을 나누지 않는다 도시와 옛것 살갗에 묻힌 채 지나온 커브길 감아올린다

퍼덕이는 사진 속 시절 걸음과 만나는 나무는 가지에 삭아버린 흙 쌓아가며 자라고 있다

가려진 달 솟아 감긴 눈 궁굴리는 모퉁이 나는 명백하게 알고 있다 나무는 언제고 여기서 돌아가리라는 것을

아현

아이는 지나는 불빛을 바라보고 있다

나는 지금 애오개를 지난다

검은 굴 뚫고 이야기가 흘러나오는 초입이다

아이가 거적에 말려 봉분도 없이 묻힌 고개

땅을 파본 사람들은 알 것이다 심줄처럼

얼마나 많은 돌들 고집스레 박혀 있는지

얼마나 퍽퍽한 신음 그 속에서 흘러나오는지

나는 지금 애장터에 대해 말하고 있다

묻는 것이 지우는 것이 정말 사라지는 것인지

차가운 불빛이 따스해질 수 있는지

전철은 여러 불빛을 달고 땅속을 달린다

눈 오는 아이들

철 지난 눈 수북수북 내린다

미리 온 진눈깨비 덮고
도시를 방황하던 먼지
육각형 구조에 갇혀 함께 내린다

사연이 쌓이는 저녁을 지나
검고 진하게 밟힌 발자국
우묵한 빈터에 모여
아이들 다시 반죽을 뭉친다

단단한 심지 새겨 넣을 수 있도록
환한 어둠과 미소 손에 쥐고
흩어지지 않을 눈 주먹 만든다

캄캄한 시멘트 벽
부서져 내리는 가루가 되어도

아이들의 눈 다부지다

골목 지나 소리 없이 우산은 가고
아이들 잠든 가로수 발로 차며
폭포같이 눈을 쏟고 달아난다

검은 머리 물은 녹아 흐른다

걸음걸음

어려서 신발을 자주 잃었다 풀잎 아래 지나는 개울 작은 신발 한쪽 흘려보내고 집으로 돌아온다 길게 자란 고수머리 한쪽 발을 절룩이며

신발 속에서 잠자던 도토리만 한 점 발을 벗으면 발가락 위 까만 터럭이 길다 신발에 대한 기억도 집으로 가던 파인 흙길도

넓적다리 위 올라앉은 고구마 점은 집안의 내력, 아들은 굽이 기운 구두 발에 걸고 좁은 현관을 저벅인다

기다리는 시간

저녁의 길 창을 열고 여드름 별 돋아난다 오래된 책 북도의 여인 이마를 숙이고 관모봉 오르는 온천과 산을 도는 철길 이삼 만의 도시로 이어진다

벤치를 덮고 그늘이 누웠다 반달마을 열두 시

빨랫줄에 걸렸던 아이의 신발 플라스틱 대야 끝 맴돈다 동동

일곱 살

지스라는 이름의 저녁이 있다
지스라는 이름의 밥상이 있다
지스라는 이름의 짖음이 있다
지스라는 이름의 물음이 있다
지스라는 이름의 풋개가 있다
지스라는 이름의 식구가 온다
지스라는 이름은 지스 지스다

겨울의 처음에서

그 여름 나는 죽었다
태양이 내리쬐고 아이들 벗은 채 뛰어다니는 둑길
밥물의 마른 각질처럼 어린 등짝 일어나고
껍질이 갈라진 벚나무 위 매미가 울었다
낡은 마을 거센 개천의 물결 휩쓸려
나는 손을 놓았다 눈 감고
소용돌이치는 물가 절규한다
들리지 않는 물거품 속으로
나는 죽고 다시 태어나 하루씩 복수를 한다
삶이 끝나버린 시간에 대해
의미 없이 흘러가는 도시의 자동차 물결에 대해
망각과 함께 피는 파란 물방울
강아지가 짖어대는 조그만 소리
그 여름 수많은 껍질이 한 꺼풀씩 벗겨지고
차가운 그림자 벌써 길가를 맴도는 시절
겨울은 코를 찌르며 무겁게 밀려온다

손을 뒤집고

어머니에 안겨 선글라스 쓰고 가는 아이 선글라스 쓰고 빨리 가는 어머니에 안겨 사라져버린 여자아이 어머니가 되기 위해 빨리 걸어 보이지 않는 세계로 한 획을 그으며 멀어지는 흔적의 아이 바다로 늘어진 그림자 밟으며 어머니를 만나 떠오르는 시간 시간을 품고 가는 살진 가방 남자가 되어버린 아이 저기 걸어가는 그녀 여자 그 아이

조용하게 꼬여 기억과 물결을 낳는다 이제 서로 나란하니

너를 본다 잠에 들어 머리를 젖히고 눈을 감은 시간 본다 숨결 본다 손을 모으고 앉아 다리를 뻗고 몸을 낮추어 세상에 나를 버리고 어둠으로 접어든 너를 본다 짙은 머리 가는 손길 땅에 박은 다리까지 자라는 하늘 너를 본다 머리는 한쪽으로 기울어 다시 세우나 감긴 눈과 코와 입술 속으로 너를 본다 사라지는 길로 가고 가던 내일 본다 산과 겨울의 한 저녁 지나던 비포장 본다 저 세상으로부터 다가오던 시간들 어둠에 잠기던 잎사귀들

잠든 집

차례로 흔들리지 빈 그네 세 개
모래가 사각거리는 놀이터
차가운 바람 창을 열고 보았지 이불 털며
쇠사슬에 엮인 놀이들
유모차에 실려 길이 나지
바람이 밀어주는 소리
흔적은 사라지지
이불 흔드는 나를 향해
그네의 걸음 다가오지
햇빛 사이
발끝을 밀어 올리는 순간

노란 병아리 낡은 담벽 모퉁이 속 걸어 나왔다, 백일이 사라진, 관절을 다친, 물이 막힌, 다시 태어난, 잠이 될, 집, 고향 가는 차들 지붕 위로 씽씽 달릴 것이다,

무력

좋은 안주 술을 먹고 홍으로 돌아왔습니다
안방 문 열어놓은 채 식구들 잠자고
차가운 보리차 목을 적시며 TV를
우연히 지난 시절 전쟁과 비참을 봅니다
절벽 아래 가랑잎 날리는 사람
얼고 굶은 자들이 몇씩 죽어나가는 산중
칼은 하얗게 이를 드러내고 울었습니다
눈동자 실핏줄 터지고 입안 침이 고입니다
가운데가 처진 가죽 소파 바닥으로
시멘트 속으로 잠기는 것입니다 돌과 모래
단단한 무덤 되고 갑자기 썩기 시작한
나의 시즙 갈 데가 없이 모이고
사각의 공간 갇힌 액체 자꾸만 검어지다
벽을 깨버리며 천지 사방으로 날아오릅니다
하늘로 오른 검은 구름 검은 비를 내리고
흙으로 스민 기운 잠자는 돌을 침투하여
집의 꼭대기에서 밤하늘을 적십니다

땅에 박힌 기둥을 타고 올라

살아남은 작은 마음만 희미하게 깜박이고

별과 함께 새벽은 빙글빙글 나에게로 왔습니다

대나무 총판

지상의 역사로 들어서면 멀리 보인다
가로수 넓은 잎 빌딩을 가리고
하늘 아래 모든 뼈마디 모이는 곳
세상에 머리 내미는 여린 순
오랜 기다림 꽃 피우고
일시에 말라버리는 백수의 왕대
아홉 구멍 몸에 달고
흔들리는 잎 달을 가리는
남쪽 바다에서 강호의 모든 대쪽들
누군가 원하는 대와 대를 위해
어떠한 용도에도 몸을 던지는
잘려지고 말려지고 잎을 떨구고
모여든다 바람마저
대의 정신 가죽과 호흡마저
온전히 거래될 것이라
원하기만 하면
모든 기개를 구해드리리라

죽음이든 생이든 깨져버리는
실핏줄 가는 줄기라도
건물 위 피뢰침 하나 솟아 있다

무서운 각목

무제한 달리는 왕복 8차선 고속도로
중앙선 갓길에 웅크린 각목 하나
깨진 몸 차량 본다
꼬리를 쫓으며 부서지는 공기
떠나온 시절 사라진다
나무는 나무의 지붕이 되어 서로를 덮는 곳
밤에도 하늘의 기운 식지 않고
호흡이 일어나는 먼 산맥
한 꺼풀 스러진 속살로
나무는 각진 이름이 되었다
검은 때 박혀 지워지지 않아
묶인 줄 날리는 마음
분리대 긁으며 바퀴는 위태롭고
각목도 흉터를 새긴다
언제쯤 회오리는 다시 일어날지
앞날을 전복시킬 도로 안으로
거친 소음 속 각목은 눈을 감지 못한다

나른하다는

고요한 소음 흘러넘치지 흐린 물결
당신 귓바퀴 돌리는 회전축으로 사라지지
돌아온 핏물과 잔잔한 바다에 떠
물개는 가죽 걸치고 코를 긁지
가려운 뿌리 찍어내며 말이 구르지
검고 평평한 대지에서 거꾸로 자라는 땅
일렬로 박혀 빛나는 작은 별 오르지
같은 소리만 굴릴 뿐 장난감 낳는 물컵
달이 기울면 흐르는 거라 중얼거리지
노란 솔 보물은 둥글게 가라앉지
주파수 대역 맞추러 진동해도 되나
접시 가득 풀 향기 한 번에 마셔도 되나
벌레의 흔적에서 흥분 느끼나 마나
당신은 스테인리스 숟가락 들어 올리지
빨간 순록의 생식기 삐져나오지 부풀어 오르는

비틀

차들이 줄지어 선 길 지나고 있었어
그들은 무덤이 되어버린 듯 고요하고
관 속은 어둠을 하나씩 품고 있었지
살아 있던 눈알은 색을 지웠어
나는 그 사이를 지났어
떠돌이 개가 스치는 한기 속이었지
잠의 거리가 끝나고

이상한 풍경이었지

차가 살아 달리는 길 다시 만났어
거짓말처럼 나는 죽음을 건넜어
가로로 길은 베어졌지
겁 없는 자들 날아다니는
새벽이었어
젖은 소음 속도가 멈췄지
불빛 아래 노란 척추를 보았어

잠이 깊은 곳이었어

서울 노파

아이들 방에 가두고 밥벌이 가던 부부
병든 아이들 하나씩 잃고
마지막 남은 딸 하나

딸을 두고 남편이 죽은 날
젯밥 올릴 것이 없어 울던 날
손톱이 빠지고 눈물이 말라

하나 남은 딸마저 먼저 가고
딸이 남기고 간 손자와 늙어가나
어린 손자가 착하다 하나

니가 무슨 소용이냐
니가 무슨 소용이냐

가난하여
죽을 날 알 수 없고 주름이 얼굴을 덮었으나

낮은 지붕 아래 낮은 방에 누웠으나

양자강

주말의 밤이 바로 오기까지
차량과 소음 몰려가는 대로
멀리도 달려온 강이다
반짝이는 불빛 향해
7층 상가의 모서리 반듯
양자강 실내 장식만 낡고도 검다
표범이 짖고 원숭이 희롱하는 노래
길 떠난 잎사귀 물결 따라 맴돈다
남의 땅에서 가난하게 죽을 때까지
바다로 흐르는 시간
56도짜리 싸구려 술 한 병
볶음밥에 배인 노란 기름 먹는다
삐걱거리는 문 열고 강은
지나던 사람 들여놓는다
축축한 공기도 출렁
기슭 향해 바람도 거품 문다
밤이 깊어가는 강변 등불이 환하다

땅끝

눈이 펑펑 쏟아지는 속세
가게에 들러
소주를 짝으로 들이는 동네

허연 바다의 이빨
가끔씩 부러져
불가에서 나이를 말리고

물의 혹 묶여
아이가 잉태되는 어린 여인
좁은 길 망태를 삭히지

망할 놈의 것 잊으라 잊으라
풀잎이 다치는 달
지인으로부터 망초가 왔구나

소식

옆자리 오 대리 묻는다
삼일장이면 내일이 발인
입추가 가까운 더운 때
친구의 어른 돌아가셨다
오 대리는 친구들 모임의 長
이곳저곳 전화를 한다
광주 어디
멀리 노령 장성 지난다고
부의의 말 자리를 넘는다
잔잔한 수면 새가 내리듯
다른 친구는 아이를 낳았다
호수의 사무실
전화로 한 세상 오고
한 세상은 간다
앞에 선 달력
산을 오른 달같이 희다

암호

퓨즈 4호 전원이 나가버린 선풍기 겨울의 날개다 죽으러 왔다 돌이킬 수 없는 과거와 위대한 폭탄 각도기와 자와 연필이다

너의 의심 너의 음모 너의 열중

대본을 읽어라 차려진 옷과 넥타이 매고 헛기침 한 번 미소 두 모금 하얀 이를 뽐내라 손을 폈다 주먹을 쥐어라 안타까움 찬성을 익혀라 느낌표와 쉼표와 마침표 진하게 그어진 감탄사 침을 튀겨라 이웃을 슬퍼하고 무거운 경고 공중으로 날려라 다듬어진 목소리와 메이크업 눈을 맞추고 여운을 새겨라 내일을 말하라

귀신 수염

그의 등에는 구멍이 있지 숨을 뱉으면 고요를 부수지 공기 속 입자도 흔들리지 시커먼 힘 몰아가다 바다의 거죽 훑어 가라앉지 잠든 달 속으로 박혀들지 물결이 따라와도 바람을 두고 떠나지 생명의 무리 선물처럼 다가오는 길목

기다리지 배가 부르지 배를 불리지

18층 허공으로 출렁이는 불빛 당신은 아이와 맥주와 밥을 먹지 어둠 속 그에 대해 생각한 적이 있지 꼭꼭 숨긴 살을 보고 싶은 적이 있지 호흡에 대해 보이지 않는 잠에 대해서도 당신은 알고 싶지 어딘가 가라앉는 명상에 대해 어지럽게 감긴 줄을 당긴다면 당신의 눈앞 당신의 집 안 물을 가르며 겁 없이 솟아오르는 그를

군무

아가미 꿰여 지워진 소리 모여 선 덕장
팔뚝만 한 생명 하늘 향해 헤엄친다
하얀 여백 머리에 덮고 플라스틱 줄 매여
바람을 맞는다 노란 속살 얼음이 박힌다

벨이 울리고 전철 오는 소리 들린다
일렬로 모여 선 걸음 뚫고 지나는 빛
저리 한발 비켜 디디면 벼랑이다
파도 부서진다 머리를 스치는 얼음

하얀 밤

지하 식당은 비린내 나는 생선조림
순두부국 저녁 야근하고
전철에 실려 집으로 간다 내일은
대보름 흐린 사진 속 걸어가면
줄지어 서 있는 떡갈나무
빗물이 흐르는 길 상처는 새겨져 있다
바퀴의 울림 기억은 흔들리고
역과 역 사이 콘크리트 회랑
그림자 놀라듯 갑자기 정차한다
노량 지나 대방 장승고개 이어지는

창 너머

보이지 않는 플랫폼 들어서고
노란 전등 역사의 간판 위에 걸린다
닫힌 출입구 밀어보면
문이 덜컥 열리고

눈썹 하얀 할머니 들어서는 순간
차는 출발할 수 있을지
꼼짝도 않고 불안하게 숨 쉰다
달빛에 걸려 곰처럼 넘어졌는지
마음은 아직 떠나지 못한다
기다리던 손님들 차례로 오른 다음
허공에 깔린 플랫폼 사라지고
역사의 불 고무풍선 하늘로 올라가고
전철은 동아줄 되어 길 위에 눕는다

북경서역에서

머리에 내린 기름 어깨의 비듬 하얗다
한단(邯鄲)이나 석가장(石家莊) 다시 한참을 흔들려야
집에 다다르는 소리들
이빨에 검은 때 두껍고
막 피우는 담배 연기 날았다 사라진다
운장(雲長)과 익덕(益德)의 의리도
거지 같은 옷자락에 남아 있는 것
천 리는 얼마나 멀고 만 리도 둘러앉은 길바닥
시간을 기다리며 속을 채우며
긴 새끼손톱 주름진 카드 잡는다
마침내 역에 다다른 사람 떠나는 동안
사이렌 울리며 시간은 지나간다
높고 높은 고원 황토 누런 굴집으로
이곳으로 왔던 사람 돌아가고
산도 하나 없는 수수 말라가는 흙벽돌집
양을 먹이며 잠을 쫓던 곳으로
내 눈앞 사타구니 터진 바지

젖을 먹는 아이도 돌아간다
울음 함께 역으로 어둠이 들어오고
밤 열차의 창밖
작은 불빛들 티끌로 날고
젊은 여인 귀 뒤로 머리를 넘기는
열차의 흔들림도 덜컹, 덜컹,

카헤라에서

뿌리에 닿으려 숨구멍으로 진액을 뽑아 땅에 붓는 몰약 말라가는 바닥 다시 물을 붓고 새가 되고 싶은 출정 사철을 따라 먼지가 내린다 공기의 비밀이다 멀리 바라보며 사자가 앉았다 딱딱해지는 육신 덩어리로 재우는 그늘

벽을 따라 지나는 무리들 강아지 꼬리 여인의 모자 중년의 목걸이도 줄에 엮인다

불을 질러라 말의 꼬리에 나무의 형상에 저 바다의 성문에 공중의 바닥에 내가 있다 나와 그대는 불탄다 축제의 과거 무너지지 않아

제 3 부

새가 올 때

순간 놓치지 말고 호흡을 잡아라
한 걸음이 올 때 더러는
수많은 거북이 몰려올 때도
심장을 기억하라
파도를 밀어 가는 달의 힘
해변을 따라 꽃바람 지나도
낭만을 넘어라
갈라지는 껍질의 순환
모두가 몰려올 때
보이지 않는 냄새에 집중하라
먼 시간에 잠길 듯하여도
해풍의 소리 귀 기울여
발톱은 강하게 부리는 날카롭게
피의 흐름 몸을 맡겨라
물결에 씻겨
운율이 바다로 돌아가기 전

의자

1.

개구리 운다 마을을 비추는 등 외줄 부엉이 앉았다 작은 공터 나무 한 그루 머리 베고 누웠다 날이 새면 일어날까 삭은 피부 철사로 관절 묶고 의자는 바람 맞는다 눈처럼 쌓이는 빛 나뭇잎 소리 지난밤에 대해 이야기한다 마을로 흐르는 개울 검은 짐승이 건너고 바위가 성으로 모인 상류에 대해 알고 있다 잠든 집 깨우지 않고 얼마나 깊이 잠이 들었는지 언제쯤 기침을 할지 더듬고 있다 나무뿌리는 어디를 향하는지

2.

전선으로 흐르는 소리 어둠을 뚫고 가는 빛 먼지들 날지 경계 사이로 명암으로 여러 원을 돌아 속삭이는 사연 속 앉아 있지 흘러 다니는 향 기억하지 괜찮다는 구절을 안과 밖

으로 되돌리지 부딪힐 거야 선을 기억하며 선으로 이어지는 진동 피의 진동 자리의 울림을 듣지 이쪽과 저쪽의 길 기억하는 것이지

예인치과에서

치료하는 것은 신경을 죽이는 것

얼음 조각으로 머리를 찌르는 통증

어느 마취와 희미하게 사라지는 것

입을 헹구고 누운 나에게 말했다

생명도 고통도 뿌리도

빛으로 세탁된 하얗고 검은 세상

기억은 날카롭게 신경을 휘젓는다 여러 번

마음이 떠나는 컴컴한 절벽

아픔은 갑자기 길을 건너지 못하고

소음에 긁힌 죽음이 진하다

자백

지난 얼룩 닦아 뭉쳐놓은 종이들
한밤 유리 너머 매여 있어
복받쳐 올리는 하얀
소리의 결박

목 련 은 또 한 번

아홉 허리
휘어진 속살 사이로
미끄러워 감길 수 없는 손길
너의 직유 색이 맺혀 저리 벌어진

남산 남동

아들로부터 편지 한 장 받았다

아빠
바보
유한 올림

아들을 혼내고 받은 답장을 보며 한참 웃었다

아버지가 보내주신 눈물 오래 웃었다

임꺽정 3-289

"빌 터이냐?"
하고 물어야 순신이는 대답이 없었다.
"빌겠다든지 못 빌겠다든지 얼른 말해라."
하고 꺽정이가 다그치니
순신이는 눈을 똑바로 뜨고
꺽정의 아래턱을 바라보다가
"수염이 좋소."
하고 하하 웃었다.
꺽정이가 곧 순신을 태기 칠 것같이
둘러메다가 사뿐 땅에 내려놓으며
바로 덕순을 돌아보고
"고만 갑시다."
하고 말하였다.
"그래, 가자."
하고 덕순이가 꺽정이와 같이 돌아설 때
꺽정이는 순신의 말을 흉내 내듯이
"수염이 좋소."

하고 수염을 쓰다듬으며
“밉지가 않거니.”
하고 허허 너털웃음을 웃었다.

꺽정과 어린 순신과 벽초와
사진리 홍맹희
그들이 모두 나를 찾아오는 저녁이다

진주 목걸이

날 보듯
나도 널 보지
내 눈을 읽는
눈
달같이 희고 동그란
알

사람들 지나
너를 찾는
길
빛으로 환한 저편
잠은 누웠지

금이 갈 듯
팽팽한
너를 풀어주지
그전

생

만져지지

어느 저녁

너의 목은 길고

내 눈에

구슬

보이지 구르지

변신

저기 굴러가는 복숭아 나다
그녀가 흘리는 노란 냄새
검은 계단 아래 사향노루
흔들리는 동그란 울림 나다
생명의 소란 바라보는 구름
빠르게 머리칼 몰아가는 바람
하늘의 시간은 나다
어둠이 눈감아주는 뒷골목
냄새 나는 화장실 나다
그녀 속으로 묻혀가는 사색
하얀 꿀 목이 메는
칼날보다 차가움 나다
냄새의 흔들림 뜨거운 눈물
움직일 수 없는 사각에서
땅으로 쓰러지며 달아나는 나

칼잡이

우리 식으로 소시지 먹으러 가자 순대를
말의 후예 달리는 먼지의 길 따라 가자
숨이 멎어버린 허파와 간 보러 가자

긴장이 풀려 김 오르는 고기를
젖은 껍질 뒤지는 한 손을
족보 있는 칼질 숨결과 보폭을

내려치는 절단의 날 두려워 마라
칼침 무뎌져도 다시 간다
칼 비늘 반짝이는 직선의 비린내

물의 사주

못 둘레 하얗게 묶인 길

긴 머리

아침의 찬 울음

고니 크리스탈 포밍 컬러 필름

손톱은 손톱 색깔은 상관없지
색깔은 색깔 손톱은 상관없지

돌려라 색을 굴려라 한 판
초겨울 창밖 햇살도 따뜻하니
새의 큰 발 하얀 털 포근하니
레몬향 진노랑 일어나니
파란색 빨간색 머리에 쓰고
흰색 노란색 손에 들고
레는 레 미는 미 솔은 솔
꽃잎 날고 둥근 구름 날릴게
돌다리 건널게 노래 반주 속으로
바다색 목에 걸고 하늘색 등에 덮고
공기를 치니 호흡은 번지니
분홍색 허리에 두르고 연파랑 발에 걸고
날개를 보아라 들어라 머리 위에서 접어라

뽀또시*

차고도 차가운 날 불을 피웠니 타는 나무 지켜보니 여린 살결이야 붉게 낯을 붉혔니

연기에 묻혀 광석은 무섭게 달아오르고 마법은 열기에서 풀려나 흘렀니

쇳물이니 뱀의 껍질이니 흙 위를 기어와 모였니

금과 은으로 매운 날 햇빛은 반짝이고 노천의 이마에 박힌 점 점의 운명을 캐보았니

산맥의 고지에는 바다를 건너온 하얀 인간들 어느새 가득하니 말의 칼날 매질 소리 열명길 무너져도 모아야 하니

가지에 눌리다 밟히다 잎줄기 씹어 잠들 수 없는 미약 입술에 묻혔니 흘러 다니는 핏물에 기억 적셨니 세상을 구하라는 번쩍이는 광택 폭풍을 건너다 물속 궁전에도 잠겼니

매운 줄기는 구름으로 모여 무진 늘어나 벽돌이 되었니 무진 늘어나 철선이 되었니 아직도 사라지지 않았니 돌멩이는

* 볼리비아, 은이 녹는 소리의 도시.

옌벤 거리

대과자 같은 것인가 쇳소리 울어대는 불에 달구어져 검은 입 벌리고 먼 세상인 듯 그림자 비추기도 하며 비닐 같은 고무 같은 하얀 반죽 기름 불에 부풀어 알통으로 피어나는 그런 때인가

흑룡강성의 할머니 경상도 억양으로 걸어가는 부엌에서 통통 박자를 맞춰가며 돼지고기 익히는 어쩌면 기름에 찌든 탁자가 추위에 끈끈하게 굳는 날 젊은이의 뻔하게 지껄이는 소리 잘도 지나기만 하는 정월의 거리까지

우윳빛 뜨거운 국물에 대과자가 적셔지는 서울 하루가 바삭한 껍질에 스미듯 딸의 손을 잡고 양고기를 구우러 나온 여인 얼마나 멀리 떨어져 있는가 북풍의 추위 외투 벗은 등짝을 서늘하게 때리며 가늘게 썰린 고기도 빨간 고춧가루에서 다 끝나버린 하얗게 빈 술잔 바람이 빙글 돌아 나가는

혁명가들, 붉은 장정의

사람이 신을 만들다니 나는 돌멩이를 만든다
사람이 신을 버릴 때 나는 신을 신는다
갖신이라도 무두질도 가능하다
짚을 삼아보지 못했다면
하나에 하나를 더해 하나를 만들고
하나를 덜어 다시 하나를 만들고
도망이라도 나쁘지 않다
수십 년 타관살이도 괜찮다
수염은 가능하고 대머리는 코가 낮고
강철도 어쩔 수 없다
여우는 죽고 물고기는 살았다
직선의 끝을 그리려 점을 잇는다
시작은 끝이고 끝은 낭만이다
바른 네모는 바퀴로 굴러 칠할 팔푼이 된다
모서리를 잃고 떨어지지 않는 숫자가 된다
큰 치는 하나고 작은 치도 하나다
검정은 하나고 진홍은 반이다 둘이다

바깥 놀이

네 살 된 딸아이 바깥 놀이 조른다
지난 저녁부터 고집 부리던 놀이
초롱초롱 눈을 반짝인다
아빠는 늦은 휴일 즐기려 누운 것인데
창밖은 물놀이 가는 아이
당장 비가 올 듯하다
분홍색 장화 분홍색 우산 들리고
아파트 나서는 순간
가는 비 내리기 시작한다
집 앞 쌈지공원만 한 바퀴 돌까
우산을 펴고 나란히 걸어간다
나뭇잎 만지고 붉은 꽃 볼 수 있는
화창한 날만 있는 것은 아니다
너무 달리지 말아라 아이야
너에게는 무궁무진한
손으로 발로 다 만지지 못할
미로 같은 놀이가 기다리고 있을지

이런 여우비 아니라 억수장마 며칠을 내려도
바깥 놀이를 가야 할지도 아이야
바깥 놀이에 젖은 아빠
네 팔을 안고 방에서 잠을 자고 싶단다

폭설이 쌓이는 날

열려 있는 시간 족자는 돌이 되고

기다리는 노파 아버지가 되었다

고양이 등에 앉은 검은 개

머리가 하얀 사람 지나간다

기다리는 시간이 하루

사라지는 소리가 그다음

마음은 나무 위 바람에 실린다

까마귀와 고양이 손을 잡고

사라진 엄마에 대해 생각해본 적도 없다

사진 속 남아 있는 흑백에 대해

눈에 묻히는 흔적 없는 거리가 되었다

번쩍이는 겨울 그림 옆 봄 나무

정라

청나라 옹정제 초상 보면
얼굴 길고 코가 길고
네 명의 이모들 생각난다

산과 바다가 만나는
물의 생명 무수히 떠올라
육신을 두고 혼이 맴도는
진

할아버지
할아버지들 모인 산에 묻히고
산에서 흐르는 물
소리와 계절 싣고
배 밑 바다에 이르러
북해의 몸 만나는
진

바다의 새들

알을 낳고 알을 깨고

다시 낳아

바다의 끝 산이 시작되는

길이 열리고

물결 딛고 선

검은 돌

진

寧國寺

오래 자란 은행나무 국물을 마신다

땅에서 올린 잎사귀 흔들리고 있다
흙에 박은 줄기 솟구쳐 몸 맺고
다시 솟구쳐 절 낳고
난간 치며 번져가는 소리를 풀었다

밤과 새벽 걸어와 모두 면을 먹는다

차지게 다진 강력분
나물과 잘게 썰려 비벼진 양념
작은 몸 우린 향 번진다
물이 내렸다 다시 오르는 계절

울리는 메아리 삼키며 국수를 잡는다

해설 · 시인의 말

한 그루의 측백나무처럼

이경수 문학평론가

1.

박승의 시는 멀리 시골에서 태어나 지금은 서울 도심에서 중년의 생활인으로 살아가는 기성세대의 목소리를 대변한다. 시인은 경남 밀양 출생으로 알려져 있지만 그의 첫 시집에서 시적 원천으로 등장하는 장소는 영동 지역이다. 동해에서 날아온 반가운 소식에 시적 주체의 마음이 움직이고 가자미식해를 비롯한 강원도 음식이 형성하는 분위기가 시의 한 축을 이룬다. 그곳에는 나아가기 위해 뒤로 물러나야 하는 원리로 움직이는 스위치백 열차가 다니고 추억 속의 할머니들이 살고 있고 "지붕 위 눈얼음이 자라는 마을"(「영동 대설」)이 있다. 다른 한 축에는 도심의 일상을 심상한 표정으로 살아가는 생활인으로서의 시적 주체가 있다. 한 가정의 가장이자 직장인인 이 시적 주체가 주로 머무는 곳은 사무실이거나 지하철이거나 일요일 오후의 집 안이다. 박승의 시는 이

두 축을 오가며 현재와 과거를 마치 스위치백 열차처럼 잇대어놓는다. 현재를 구성하는 것이 도심 속 일상의 무료함이라면 그가 수시로 거슬러 올라가는 과거의 시간을 구성하는 것은 할머니들이 살아온 신산한 가계와 이 땅의 민초들이 겪어온 역사의 굴곡이다. 그것은 그 시간을 견디며 살아온 사람을 통해, 때로는 그들이 먹어온 음식과 살아온 장소와 자연을 통해 오롯이 재현된다.

날씨가 차가워지면 북쪽에서 반가운 소포가 온다

눌러쓴 주소 안고 비닐로 겹겹이 싸여 석류처럼 빨갛게 가자미 온다

동해 먼 곳 외할머니 보내신 식해 빨간 피보다 전설이 많아 이 생 저 생 녹아 있다

무 고추 마늘 메좁쌀 엿기름 물 떠난 생물 몸 비비고 피 나누며 숨죽인다

만삭의 독 소식 풀면 끊어진 몸 추슬러 살 속 흰 뼈를 녹인다

바다를 기억하는 날개 하나가 되어 헤엄치고 오래고 삭고 긴 가계 겨울에서 겨울로 익어간다

낮은 해류를 지나온 가자미 식탁에 올라 붉게 아침을 토한다 달이 가까운 또 어머니의 눈이 내리는 이곳

_「가자미」 전문

시골에 부모나 조부모를 두고 도시에서 살아가는 이들이 대개 그렇듯이, 시적 주체도 해마다 날씨가 차가워지면 북쪽에서 온 "반가운 소포"를 받는다. "동해 먼 곳 외할머니 보내신 식해"가 "비닐로 겹겹이 싸여 석류처럼 빨갛게" 전달되어 오는 것이다. 꾹꾹 눌러쓴 주소만큼이나 정성 들였을 가자미식해는 오래 삭혀야 제맛이 나는 함경도와 강원도 지역의 대표 음식으로, 시적 주체의 표현을 빌리면 "빨간 피보다 전설이 많아 이 생 저 생 녹아 있"는 음식이다. "무 고추 마늘 메좁쌀 엿기름"에 "물 떠난 생물" 가자미가 "몸 비비고 피 나누며" 삭혀진 이 음식에 시적 주체는 그곳에서 살아온 사람들의 세월과 전설과 삶을 담아낸다. 뿐만 아니라 "바다를 기억하는 날개 하나가 되어 헤엄치"는 '가자미'의 삶까지도 그로부터 읽어낸다. "겨울에서 겨울로 익어"가는 "오래고 삭고 긴 가계"는 외할머니의 삶을 지나 "어머니의 눈"을 지나 시적 주체의 현재 삶으로 전해져온다. 음식에 그 음식을 먹으며 살아온 사람들의 마음과 생업과 역사를 담을 줄 알았던 오래전 한 시인이 문득 떠오른다.

오래 자란 은행나무 국물을 마신다

땅에서 올린 잎사귀 흔들리고 있다
흙에 박은 줄기 솟구쳐 몸 맺고
다시 솟구쳐 절 낳고
난간 치며 번져가는 소리를 풀었다

밤과 새벽 걸어와 모두 면을 먹는다

차지게 다진 강력분

나물과 잘게 썰려 비벼진 양념

작은 몸 우린 향 번진다

물이 내렸다 다시 오르는 계절

울리는 메아리 삼키며 국수를 잡는다

_「寧國寺」 전문

「가자미」가 시집의 제일 앞에 놓이는 시라면「寧國寺」는 시집의 맨 뒤에 실린 시이다. 공교롭게도 두 시가 모두 음식과 관련되어 있다. 충북 영동 천태산에 있는 영국사는 고려 문종 때 원각국사(圓覺國師)가 창건한 절로 당시에는 국청사(國淸寺)라고 했다가 공민왕이 홍건적의 난을 피해 마니산성(馬尼山城)에 머물 때 이 절에 와서 기도를 드린 뒤 국난을 극복하고 나라가 평온해졌다고 해서 영국사로 고쳐 부르게 되었다. 절 입구 근처에 있는 은행나무가 절 못지않게 유명하다. 인용한 시에서도 "흙에 박은 줄기 솟구쳐 몸 맺고/다시 솟구쳐 절 낳"았다는 발상을 통해 은행나무와 절이 한 몸으로 그려져 있다. 시적 주체의 일행은 "밤과 새벽 걸어와 모두 면을 먹는다". 아마도 절에서 제공하는 국수였을 것이다. "차지게 다진 강력분/나물과 잘게 썰려 비벼진 양념/작은 몸 우린 향" 번지는 국수의 맛과 향이 영국사의 기억과 함께 떠오른다. 음식은 박승의 시에서 장소와 기억을 환기하는 매개로 등장한다. 그것은 대개 우리가 오래도록 먹어온 익숙한 음식으로 특정 장소와 그곳에서 살아온 사람들을 기억하게 한다.

2.

이번 시집에서 박승은 할머니의 삶에 특히 주목한다. 해마다 날이 추워지면 손주에게 가자미식해를 부쳐주는 외할머니부터 "아버지의 기일이 되면 어스름 저녁으로 오시던" "왕고모할머니", "삼척서 꼽히는 미인이었다는 큰이모할머니", "자주 서럽던 혼자 사는 이모할머니", "남편이 돌아가고 몇 날을 꼬박 굶어 함께 가신 독한 할머니"(「애인」)까지 이 땅에서 신산한 삶을 살아온 할머니들이 그의 시적 원천을 형성한다. 이 할머니들을 애인이라 부르는 시적 주체는 "나는 얼마나 많은 여인과 살아왔고 걸어왔고 태어났고 몸을 묻고 젖을 물고 또 핥고 눈을 감으며 그리워하여 죽어왔던가" 회한에 잠긴다. 어디 시적 주체뿐이겠는가. 우리들의 기억 어딘가에는 저마다의 할머니가 깃들어 있을 것이다. 옛날이야기를 좋아하면 가난하게 산다고 걱정하면서도 조르고 또 조르는 손주를 귀찮다 내치지 않고 끝도 없이 옛날이야기를 들려주시던 외할머니, 맛난 간식을 숨겨뒀다가 손주의 손에 몰래 들려주곤 하시던 할머니, 허리춤에서 쌈짓돈을 꺼내 손주 용돈을 챙겨주시던 할머니, 쓸쓸히 청자 담배를 피우시던 할머니……. 이 땅의 손자 손녀들에게 할머니는 영원한 그리움의 대상일 것이다. 할머니 냄새만큼 추억을 자아내는 냄새가 또 있으랴.

> 할머니 툇마루 눈이 내렸습니다
> 하늘을 받아주는 난간
> 페인트 부드러운 윤기 푸득푸득 덮이며
> 한 길 넘어 하얀 눈 쌓였습니다
> 동화처럼 눈 아래 박혀 있는 철못

작은 미닫이문도 닫혔습니다
먼 솜털 내리는 동안
먹구름 무거운 바다 몸을 구르고
할머니는 어지러운 잠 속 걸어갑니다
할아버지 만나고 어린 엄마를 만나
고드름과 함께 눈이 자라는
명태의 놀란 주둥이 만집니다
지붕 위 눈얼음이 자라는 마을
깊은 산도 깜박 잠에 듭니다
적막으로 발을 묶고 세상도 묻힙니다
눈을 감는 신령한 소리 들리고
아침이 옵니다 길의 눈에 푹푹 빠지며
할머니 깨어나는 손끝
미닫이는 입을 물고 오래 기다립니다

_「영동 대설」 전문

시적 주체의 외가는 영동 지방에 있었던 듯하다. 푹푹 내리는 눈과 함께 그의 기억 속 할머니도 깨어난다. "할머니 툇마루"에 눈이 내리던 기억. "하늘을 받아주는 난간"처럼 한없이 손주들을 받아주던 할머니의 품. 그러므로 영동 지방에 내리는 대설은 할머니를 닮았다. 한 길 넘어 하얀 눈 쌓이고 작은 미닫이문도 닫히는 경험을 겨울이면 자주 할 수 있는 땅은 한반도 남쪽에선 흔치 않다. "지붕 위 눈얼음이 자라는 마을"에선 "깊은 산도 깜박 잠에" 들고 온통 하얀 눈으로 뒤덮인 세상이 "적막으로 발을 묶고", 폭설에 세상도 묻히는 일이 흔하게 일어났을 것이다. "고드름과 함께 눈이 자라는" 그 마을에서 자란 시적 주체는 온 세상을 품어버리는 저 하얀 눈이 할머니를 닮았음을 깨닫는다. 온통 눈이 뒤덮은 마을은 까무룩 잠들고 하얗고 넓은 눈의 품은 할머니 품을 닮아 할머니도 깜박 잠이 든다. "먼 솜털 내리는 동안" 어지러운 잠 속으로 걸어 들어간 할머니는 할아버지를 만나고 어린 엄마를 만난다. 할머니 품속에서 함께 잠들곤 했을 시적 주체도 마을도 깊은 산도 깜박 잠든다. "동화처럼", 눈부신 꿈처럼 할머니의 고향은 그렇게 시적 주체에게 각인되어 있다.

나에겐 얼마나 많은 할머니들이 계시는가
소싯적에는 너무도 잘 달리던 할머니 이제 기억이 눈처럼 조금씩 녹고 계신지
봉황이 알을 품는 봉촌에서 났다고 김봉희 증조할머니 인촌댁
몇 십 년 먼저 간 할아버지 곁에서 올해도 꽃피우고 계시는지

(중략)

남에게 싫은 말 못하는 이제 물렁뼈가 조금씩 굳어가는 내 아들의 할머니
당당하나 요절하신 아버지와 청상의 어머니 기억하는 내 딸의 외할머니와
하얀 구름이 자갈 많은 강물 위를 흘러갈 때 그 손을 잡고 먼저 간 사람 기억해줄 내 손자의 할머니까지
나는 얼마나 많은 여인과 살아왔고 걸어왔고 태어났고 몸을 묻고 젖을 물고 또 핥고 눈을 감으며 그리워하여 죽어왔던가

_「애인」 부분

"나에겐 얼마나 많은 할머니들이 계시는"지 그리고 그들이 "얼마나

많은 사랑"이었는지 뒤늦게 깨달은 시적 주체의 사랑 고백이 이어진다. 이 땅의 고난과 함께하며 이 땅을 일구고 가정을 지켜온 저 할머니들의 억척스런 생명력과 사랑의 힘으로 자신이 "살아왔고 걸어왔고 태어났고" "몸을 묻고 젖을 물고 또 핥고 눈을 감으며 그리워하"며 죽어왔음을 잘 알고 있기 때문이다. 증조할머니, 고조할머니, 왕고모할머니, 외할머니, 이모할머니, 할머니를 거쳐간 삶은 가족사와 이 땅의 역사를 증명하는 것이기도 하다. 가부장제 사회에서 힘겹게 생을 일구며 한 가족을 지탱해온 이 땅의 할머니들의 삶. 박승의 시는 이 땅만큼이나 자주 서럽고 그럼에도 강인하게 버텨온 할머니들의 생애에 바치는 송가(頌歌)이다.

어머니 생신 맞아 고향에 가니
강아지 여덟 마리 하얗게 돌아다닌다
새끼 괭이처럼 새끼 제비처럼 재재거리며
어미 젖 물고 먹이통에 마당에
가는 꼬리 저어대며 소한 추위 이기고 있다
어미는 여러 해 대문을 지키고 있다

두 돌 딸을 데리고 고향에 다시 오니
하얗던 강아지는 없고 흰 어미만 앉아 있다
강아지들 이 집 저 집 모두 떠나고
남은 둘은 개장수에 팔렸다 한다
어린것들 벌써 제 길을 다 가고
대문 앞에는 어미 털이 하얗게 빠져 있다

_「흰 개」 전문

여러 해 고향 집 대문을 지키고 있던 여덟 마리 강아지의 어미 흰 개는 오래도록 고향 집을 지키고 살아온 시적 주체의 어머니와 할머니를 닮았다. "새끼 괭이처럼 새끼 제비처럼 재재거리며" 온종일 집 안을 "하얗게 돌아다"니다가 "이 집 저 집 모두 떠나고" 개장수에게 팔린 강아지들은 자연스럽게 고향 땅을 떠나 도시로 서울로 흩어져 각자의 가정을 꾸리고 살아가는 자식들의 모습을 닮았다. "어린것들 벌써 제 길을 다 가고/대문 앞에는 어미 털이 하얗게 빠져 있다". 어찌 이것이 흰 개의 어미와 강아지들에게만 해당하는 것이겠는가? 어린 것들을 잃은 스트레스로 털이 하얗게 빠져버린 흰 개의 모습은 자식들과 손주들을 다 떠나보내고 홀로 고향 집을 지키고 있는 우리네 어머니의 모습과 다르지 않다. 생활의 공간이 도시를 중심으로 형성되면서 이 땅의 많은 가족이 비슷한 일을 겪었음은 두말할 필요가 없을 것이다.

> 아가미 꿰여 지워진 소리 모여 선 덕장
> 팔뚝만 한 생명 하늘 향해 헤엄친다
> 하얀 여백 머리에 덮고 플라스틱 줄 매여
> 바람을 맞는다 노란 속살 얼음이 박힌다
>
> 벨이 울리고 전철 오는 소리 들린다
> 일렬로 모여 선 걸음 뚫고 지나는 빛
> 저리 한발 비켜 디디면 벼랑이다
> 파도 부서진다 머리를 스치는 얼음
>
> _「군무」 전문

박승 시의 원천이 고향의 자연과 사람들에게서 형성된 것이다 보니 자연과 사람을 나란히 놓는 선경후정의 전통적 형식이 그의 시에서 종종 발견된다. 덕장에서 바람을 맞는 명태의 신세와 전철 기다리며 일렬로 모여 선 사람의 행렬이 그리 다를 것도 없다는 깨달음이 이 시의 바탕을 이룬다. 아가미가 꿰여졌기 때문에 "지워진 소리"가 "모여 선 덕장"에 '팔뚝만 한 생명'이 하늘을 향해 헤엄치고 있다. 팔딱팔딱 뛰던 팔뚝만 한 생명들이 "노란 속살 얼음이 박"히도록 "하얀 여백 머리에 덮고 플라스틱 줄 매여/바람을 맞는" 곳이 덕장이라면, "벨이 울리고 전철 오는 소리" 들릴 때마다 "일렬로 모여" 서서 "한발 비켜 디디면 벼랑"인 그곳을 하루에도 몇 번씩 견디며 서 있는 곳이 지하철역이자 도시인의 삶이다. 한발 아래가 벼랑인 그곳, 파도가 부서지고 얼음이 머리를 스치는 그곳에서 아슬아슬하게 견디며 살아가는 신세나 덕장에서 온몸으로 바람을 맞으며 꾸덕꾸덕 말려지고 있는 물고기의 신세나 다를 바 없다. 어쩌면 지금, 여기의 우리네 인생이란 일사불란한 군무 같은 것일지도 모른다고 그의 시는 말한다.

그 밖에도 박승의 시에는 그의 가족사와 가족사가 환기하는 근현대사의 굴곡이 펼쳐진다. 「오십 년 행방불명 박선돈 씨」에는 가족에게 안부도 전하지 못하고 야반도주하듯 몰래 집을 나가며 후일을 기약하는 박선돈 씨의 심정이 그려지는데, 시의 제목으로 보아 그는 그 길로 오십 년째 행방불명이 되었던 것으로 보인다. 자세한 사연과 내력이 전해지는 것은 아니지만 밀양 동남부에 위치한 "삼랑진 돌티미"가 등장하는 것이나 '박선돈 씨'의 성이 박 씨인 것으로 보아 시인의 집안 내력을 보여주는 시임을 짐작할 수 있다. "한 자루 품고 가볼라칸다"는 마음으로 "갈방 잎사구매로/물 따라 바람 따라"(「오십 년 행방불명 박선돈 씨」) 집 나간 '아재'는 그 길로 영영 돌아오지 못했는데, 돌이켜보면 우리의 근현대사에는 집 나간 이가 돌아올 수 없게 된 국면들이 적지 않았다. 전쟁과 분단, 4·19혁명 등 집 나간 '아재'를 오십 년 넘게 행방불명되게 할 사연이 이 땅에는 차고 넘쳤으니 말이다.

우윳빛 뜨거운 국물에 대과자가 적셔지는 서울 하루가 바삭한 껍질에 스미듯 딸의 손을 잡고 양고기를 구우러 나온 여인 얼마나 멀리 떨어져 있는가 북풍의 추위 외투 벗은 등짝을 서늘하게 때리며 가늘게 썰린 고기도 빨간 고춧가루에서 다 끝나버린 하얗게 빈 술잔 바람이 빙글 돌아 나가는

_「옌볜 거리」 부분

하나 남은 딸마저 먼저 가고
딸이 남기고 간 손자와 늙어가나
어린 손자가 착하다 하나

니가 무슨 소용이냐
니가 무슨 소용이냐

가난하여
죽을 날 알 수 없고 주름이 얼굴을 덮었으나
낮은 지붕 아래 낮은 방에 누웠으나

_「서울 노파」 부분

중국 땅에서 가장 많은 조선족이 거주한다는 조선족자치주 옌볜에서 만난 할머니와 여인의 모습이나 지독한 가난 때문에 아이들과 남편을 모두 잃고 손자 하나와 연명하는 서울 노파의 모습이나 고향을 잃어버리고 삶의 터전을 잃어버린 이들이라는 점에서 마찬가지 신세이다.

"경상도 억양으로 걸어가는" "흑룡강성의 할머니"나 "딸의 손을 잡고 양고기를 구우러 나온 여인", 그리고 "우윳빛 뜨거운 국물에" 적셔 먹는 대과자(따과즈) 등은 고향을 등지고 이방인으로 살아야 했을 옌볜 거리에서 만난 이들의 사연과 생태를 짐작케 한다. "아이들 방에 가두고 밥벌이" 갈 수밖에 없을 만큼 가난하던 부부가 결국 가난 때문에 병든 아이들을 하나씩 잃고, 그러다 부부 중 남편도 먼저 가고 마지막 남은 딸 하나마저 어린 손자만 남기고 죽어버려 손자와 외롭게 늙어가는 신세가 되어버린 서울 노파의 사연은, 결국 가난에서 비롯된 것이다. "가난하여/죽을 날 알 수 없고 주름이 얼굴을 덮었으나/낮은 지붕 아래 낮은 방에" 누워 한없이 낮은 인생을 살아가는 이들에게 박승 시인의 시선은 머무른다. 그들이 몸 부리고 살아가는 곳은 달라도, 가난하고 낮고 비루하고 쓸쓸한 그들의 삶은 별반 다르지 않다.

3.

대개의 서정시가 그렇듯이 박승의 시도 자신의 시적 원천을 이룬 먼 곳으로서의 고향과 그곳의 자연 그리고 그곳을 지키며 살아왔고 여전히 살아가고 있는 할머니와 어머니의 삶에 뿌리를 내리고 있다. 그를 있게 했고 그가 여전히 그리워하는 곳을 이로부터 짐작할 수 있다. 그렇다면 박승 시의 현재를 구성하는 일상은 어떤 모습으로 그려지는가.

옆자리 오 대리 묻는다
삼일장이면 내일이 발인
입추가 가까운 더운 때

친구의 어른 돌아가셨다

오 대리는 친구들 모임의 長

이곳저곳 전화를 한다

광주 어디

멀리 노령 장성 지난다고

부의의 말 자리를 넘는다

잔잔한 수면 새가 내리듯

다른 친구는 아이를 낳았다

호수의 사무실

전화로 한 세상 오고

한 세상은 간다

앞에 선 달력

산을 오른 달같이 희다

_「소식」 전문

도심의 사무실에서 흔히 볼 수 있는 상황을 그린 시이다. 친구의 어른이 돌아가셨고, 친구들 모임의 장(長)인 옆 자리 오 대리는 부지런히 전화를 돌려 부음을 전한다. "삼일장이면 내일이 발인" "광주 어디/멀리 노령 장성 지난다고/부의의 말 자리를 넘는다". 그런데 사무실의 전화가 불이 난 것은 오 대리 때문만은 아니다. "다른 친구는 아이를 낳았"고 그로 인해 "호수의 사무실"은 전화로 분주하다. 죽음을 알리는 전화와 새 생명의 탄생을 알리는 전화. 이처럼 죽음과 탄생이 교차하고 공존하는 것이 우리네 일상이다. "전화로 한 세상 오고/한 세상은 간다". 못 이길 만큼 지독한 슬픔도 뛸 듯한 기쁨도 뒤따르지 않는다. 부음과 출산 소식이 심상히 들려오는 일상을 시적 주체는 덤덤히 살아가고 있다.

지하 식당은 비린내 나는 생선조림
순두부국 저녁 야근하고
전철에 실려 집으로 간다 내일은
대보름 흐린 사진 속 걸어가면
줄지어 서 있는 떡갈나무
빗물이 흐르는 길 상처는 새겨져 있다
바퀴의 울림 기억은 흔들리고
역과 역 사이 콘크리트 회랑
그림자 놀라듯 갑자기 정차한다
노량 지나 대방 장승고개 이어지는

창 너머

보이지 않는 플랫폼 들어서고
노란 전등 역사의 간판 위에 걸린다
닫힌 출입구 밀어보면
문이 덜컥 열리고
눈썹 하얀 할머니 들어서는 순간
차는 출발할 수 있을지
꼼짝도 않고 불안하게 숨 쉰다
달빛에 걸려 곰처럼 넘어졌는지
마음은 아직 떠나지 못한다
기다리던 손님들 차례로 오른 다음
허공에 깔린 플랫폼 사라지고
역사의 불 고무풍선 하늘로 올라가고

전철은 동아줄 되어 길 위에 눕는다

_「하얀 밤」 전문

도심 직장인의 일상에서 야근은 날마다 반복되는 특별할 것 없는 일이다. 시적 주체는 "비린내 나는 생선조림"에 "순두부국"으로 지하 식당에서 저녁을 먹고 야근하고 짐짝처럼 전철에 실려 집으로 돌아간다. 지친 그에게 문득 "내일은/대보름"이라는 사실이 떠오르고 흐린 기억 속으로 "줄지어 서 있는 떡갈나무/빗물이 흐르는 길"이 상처처럼 새겨져 있다. 그 상처가 구체적으로 어떤 것인지는 알 수 없지만 바퀴의 울림에 시적 주체의 기억은 흔들리고 열차는 "노량 지나 대방 장승고개"로 이어진다. 지하철 1호선의 노선은 노량진역에서 대방역으로, 이어서 신길역, 영등포역으로 이어지지만, 시적 주체는 노량 대방 지나 장승고개로 달려간다. 달리는 지하철 속에서 그는 오래전 기억 속의 다른 길을 가고 있는 것이다. "창 너머"가 하나의 연을 이루며 독립되어 있는 까닭은 바로 여기에 있다. 그 앞뒤로 현실의 장면과 환상의 장면이 배치된다. 창 너머로 멀리멀리 달아나는 시적 주체의 기억처럼 이 시의 3연에서 펼쳐지는 풍경은 더 이상 사실의 풍경이 아니다. 그러므로 열차는 "보이지 않는 플랫폼"으로 들어서고 "노란 전등"이 "역사의 간판 위에 걸린다". "닫힌 출입구 밀어보면/문이 덜컥 열리고/눈썹 하얀 할머니"가 들어선다. 이 할머니와 마주친 후 시적 주체는 "꼼짝도 않고 불안하게 숨" 쉬며 마음이 거기서 떠나지 못하고 머무른다. 자세한 사정이야 알 수 없지만 그의 상처의 근원에 저 눈썹 하얀 할머니가 있을 것이다. 도심의 일상을 무심히 살아가는 시적 주체를 문득문득 일깨워 "달빛에 걸"린 곰처럼 넘어지게 하고 멈추어 서게 하는 존재. 그것은 눈썹 하얀 할머니로 상징되는 과거의 기억이자 상처이다.

집 앞 쌈지공원만 한 바퀴 돌까
우산을 펴고 나란히 걸어간다
나뭇잎 만지고 붉은 꽃 볼 수 있는
화창한 날만 있는 것은 아니다
너무 달리지 말아라 아이야
너에게는 무궁무진한
손으로 발로 다 만지지 못할
미로 같은 놀이가 기다리고 있을지
이런 여우비 아니라 억수장마 며칠을 내려도
바깥 놀이를 가야 할지도 아이야
바깥 놀이에 젖은 아빠
네 팔을 안고 방에서 잠을 자고 싶단다

_「바깥 놀이」 부분

"네 살 된 딸아이"를 둔 아빠의 모습으로 시적 주체가 등장하는 이 시에서도 도시의 일상을 살아가는 그의 고뇌가 엿보인다. 네 살 된 딸아이는 초롱초롱 눈을 반짝이며 바깥 놀이를 조르고, 늦은 휴일 즐기려 누워 있던 아빠는 아이에게 "분홍색 장화 분홍색 우산"을 들려 아파트를 나선다. 가는 비 내리기 시작한 집 앞 쌈지공원을 젊은 부녀가 "우산을 펴고 나란히 걸어간다". 이 시에 그려진 아빠와 아이의 모습은 평범한 서민 가정에서 흔히 볼 수 있는 풍경이다. 연일 야근에 시달렸을 아빠에겐 휴일의 낮잠이 무엇보다도 달콤한 유혹이었겠지만, 야근에 아빠를 빼앗겼던 딸아이가 모처럼 조르는 바깥 놀이의 바람을 뿌리칠 수는 없었을 것이다. 하지만 그는 딸아이 앞에 펼쳐질 앞으로의 인생을 그의 경험에 비추어 가늠하며 인생 선배로서 당부를 하는 것 또한 잊지 않는다. 세상의 모든 바깥 놀이가 네 살 적 바깥 놀이처럼 다 그렇게 즐겁기만 한 것은 아님을, "나뭇잎 만지고 붉은 꽃 볼 수 있는/화창한 날만" 바깥 세상에 있는 것은 아님을, "이런 여우비 아니라 억수장마 며칠을 내려도/바깥 놀이를 가야 할" 수도 있음을. 그러므로 너무 달리지 말고 가끔은 "바깥 놀이에 젖은 아빠"에게 "네 팔을 안고 방에서 잠을" 잘 시간을 허락해달라고 당부한다.

뒤로 간다 뒤로 저 산 저 길 저 언덕 올라간다

기억을 따라 시간을 따라 가난한 햇빛 가난한 잔설 산이 막아둔 길 넘어간다 고지의 차가운 작은 새벽 여인숙에서 간다

눈물 나는 검은 눈 낮은 방에서 나는 그의 손을 잡는다 새벽의 내리막길 기다리다 마른 그가 누운 바닷가 낡은 집 찾아간다 팔은 줄고 다리는 가냘프니

산의 허리 무엇을 보나 허리에서 눈부신 서리 차기만 한 서리 곁으로 곁으로 시간이 멈추고 다시 세상이 덜컹거릴 때가 올 때 다시 앞으로 구를 때가 올 때 다시 앞으로 나를 굴려야 할 때가 올 때 바다의 고장을 떠나 흙의 사람이 되기 전 뒤로 뒤로

_「스위치백」 전문

스위치백(Switchback)은 고도차가 많이 나는 지역에서 사용하는 철도 운행 체계이다. 'Z'자형으로 설치된 철로로, 전진하다가 후진하며 경사를 따라 이동, 다시 전진해 경사를 극복하는 방식으로 움직인다. 과거에 금강산선, 영동선 홍전–나한정 구간에서 운행되던 스위치백이 지금

은 그나마 모두 없어졌다고 한다. 기술이 더 발전하고 고속도로가 정비되면서 효율성이 떨어지는 스위치백 방식의 열차 운행이 더 이상 선호되지 않기 때문일 것이다.

「스위치백」은 박승의 이번 시집의 표제 시이다. 스위치백은 "저 산 저 길 저 언덕 올라"가기 위해 뒤로 가는 방식을 취한 것으로, 철도 운행 체계이면서 동시에 그의 시에서 시간을 활용하는 방식을 가리킨다. "기억을 따라 시간을 따라 가난한 햇빛 가난한 잔설 산이 막아둔 길 넘어"서 그의 시는 현재로 돌아온다. 아마도 현재로 돌아오기 위해, 그리고 그곳에서 한 걸음 더 나아가기 위해 그는 끊임없이 자신의 시가 솟아나온 시적 원천의 자리로 돌아가는 것인지도 모른다. "눈물 나는 검은 눈 낮은 방에서" 시적 주체가 잡은 그의 손은 바로 과거의 자기 손일 것이다. 과거의 자기와 화해하려는 것도 결국 지금, 여기에서 한 걸음 더 나아가기 위해서가 아닐까. "다시 세상이 덜컹거릴 때가 올 때 다시 앞으로 구를 때가 올 때 다시 앞으로 나를 굴려야 할 때가 올 때 바다의 고장을 떠나 흙의 사람이 되기 전 뒤로 뒤로" 가면서 전진을 도모하는 것일 게다.

바닥에 넘어진 그림자 길을 넘는다 낮은 계단 밋밋한 시멘트 길 따라 저기 측백 한 그루 서 있다

낯선 아침 허리를 잡고 돌았던 나무 흔들리는 가로등 불빛 이정표처럼 단호한 뿌리

측백은 밤과 낮을 나누지 않는다 도시와 옛것 살갗에 묻힌 채 지나온 커브길 감아올린다

퍼덕이는 사진 속 시절 걸음과 만나는 나무는 가지에 삭아버린 흙 쌓아가며 자라고 있다

가려진 달 솟아 감긴 눈 궁굴리는 모퉁이 나는 명백하게 알고 있다 나무는 언제고 여기서 돌아가리라는 것을

_「나의 측백나무」 전문

"낮은 계단 밋밋한 시멘트 길 따라 저기" 서 있는 한 그루 측백나무는 박승의 시적 주체의 화신이자 상징 같은 존재이다. 시인의 측백나무는 "밤과 낮을 나누지 않"고 "도시와 옛것 살갗에 묻힌 채 지나온 커브길 감아올"리며 "단호한 뿌리"로 버티고 서 있다. 영동과 밀양의 시간을 지나 서울에 이른 시인의 현재처럼 말이다. "퍼덕이는 사진 속 시절 걸음과 만나는 나무는 가지에 삭아버린 흙 쌓아가며 자라고 있다". 시인의 측백나무도 그렇게 자라고 있다. 기억의 시간 속으로 깊이 뿌리 내린 채 역사를 딛고 오늘의 시간으로 무성히 가지를 뻗고 잎을 드리우며. 도시의 고단한 일상을 견디기 위해서는 그의 측백나무가 드리울 그늘에서 잠시 쉬어 가는 것도 좋겠다.

시인의 말

흘러오고

흘러간다

2015년 봄
박승

실천시선 232

스위치백

2015년 3월 10일 1판 1쇄 찍음
2015년 3월 17일 1판 1쇄 펴냄

지은이 박승
펴낸이 김남일
편집 이호석, 박성아, 이승한
디자인 김현주
관리·영업 김태일, 박윤혜

펴낸곳 (주)실천문학
등록 10-1221호(1995.10.26)
주소 서울특별시 마포구 월드컵로10길 48 501호(서교동, 동궁빌딩)
전화 322-2161~5
팩스 322-2166
홈페이지 www.silcheon.com

ISBN 978-89-392-2232-8 03810